Les petites bottes
de la grande Sarah

À Cheryl
qui héritait toujours
de mes petites bottes
P.B.

Pour Sandy et Linda,
mes grande et petite soeurs
B.C.

Données de catalogage avant publication (Canada)

Bourgeois, Paulette
  [Big Sarah's little boots. Français]

Les petites bottes de la grande Sarah
Traduction de : Big Sarah's little boots.
ISBN 0-590-71821-5

I. Clark, Brenda. II Titre.III. : Big Sarah's little boots.
Français

PS8553 087B5414 1993   jC813'.54   C92-095349-2
PZZ3.B68Pe 1993

Édition publiée par Les éditions Scholastic avec la permission de Kids Can Press Ltd.
    7 6 5 4   Imprimé au Canada   02 03 04 05

Les petites bottes de la grande Sarah

Paulette Bourgeois
Illustrations de Brenda Clark
Texte français de Lucie Duchesne

Les éditions Scholastic

Sarah adore ses bottes. Elles sont luisantes comme un ciré sous la pluie et jaunes comme un petit canard en plastique. Quand Sarah saute dans les flaques d'eau, ses bottes font *PCHIT* et l'eau fait *SPLOUCH!*

Un jour, Sarah essaie de mettre ses bottes. Elle les tire de toutes ses forces. Elle recroqueville ses orteils. Elle pousse ses talons tant qu'elle peut, mais ses bottes ne lui vont plus.

Sarah retire ses chaussettes, mais même si elle est pieds nus, ses bottes ne lui vont pas.

«Oh, non! s'écrie Sarah. Mes bottes ont rétréci!»

Sarah essaie d'agrandir ses bottes. Elle en étire
la pointe; elle en étire le talon.

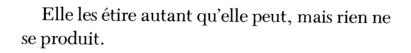

Elle les étire autant qu'elle peut, mais rien ne
se produit.

Alors, elle appelle son petit frère Mathieu. Ils attachent le haut des bottes au cheval de Mathieu et le pied au tricycle de Sarah.

Ils tirent jusqu'à ce que les cordes soient tendues, mais rien ne se produit.

Sarah donne ses bottes au chien. Il tire en grognant et elle fait de même.

Mais rien ne se produit.

Sarah essaie de les gonfler comme un ballon. Elle prend une grande respiration, gonfle ses joues et souffle. Mais rien ne se produit.

Elle remplit ses bottes avec des tas de cailloux. Les bottes deviennent très lourdes, mais elles ne deviennent pas plus grandes.

Sarah plante ses bottes dans le jardin, là où le soleil est chaud et brillant. Elle les arrose et attend. Mais les bottes ne poussent pas.

Sarah est très triste. Ses bottes ne lui vont plus. Ses pieds sont trop grands pour ses bottes. Et pourtant , Sarah adore ses bottes.

—Maman, dit Sarah, mes bottes ont rétréci.

—Je me demande si ce n'est pas plutôt toi qui as grandi.

—Mais non. Mes bottes ont rétréci.

—Voyons voir, fait sa maman, et elle mesure Sarah. Tes bottes n'ont pas rétréci. C'est bien tout ton corps qui a grandi! Il te faut de nouvelles bottes.

—Je ne veux pas de nouvelles bottes, répond Sarah.

Sarah et sa maman vont quand même au magasin de chaussures. Il y a des tas de bottes, des bottes avec des arcs-en-ciel, des bottes rouges, des bottes violettes, des bottes quadrillées, des bottes avec des boucles et des fermetures éclair.

Le vendeur montre à Sarah des bottes jaunes avec une rayure rouge pompier autour du pied et une autre autour du mollet.

—Elles sont adorables, non? dit le vendeur.

—Je ne veux pas de nouvelles bottes, dit Sarah.

Sa maman lui achète les belles bottes jaunes avec les rayures rouges pompier.

Lorsqu'il pleut de nouveau, Sarah met ses bottes neuves. Elles ne sont pas aussi luisantes ni aussi jaunes que ses vieilles bottes. Lorsque Sarah saute dans les flaques d'eau, l'eau fait *plouf*, mais c'est tout.

Quelque temps après, la maman de Sarah lui demande si Mathieu peut mettre ses vieilles bottes.

Mathieu est tellement excité que Sarah dit: «D'accord.»

Lorsque Mathieu met les vieilles bottes, il s'écrie: «Regarde comme elles sont luisantes! Et elles sont jaunes comme mon canard en plastique.»

Lorsque Mathieu saute dans les flaques d'eau, les bottes font *PCHIT* et l'eau fait *SPLOUCH!*

—J'espère qu'elles ne rétréciront pas, dit Mathieu.

—Ne dis pas de bêtises, répond Sarah. Les bottes ne rétrécissent pas; ce sont les pieds qui grandissent.

Mathieu et Sarah sautent dans les flaques d'eau. Soudain, cela ne la dérange plus si ses nouvelles bottes font *plouf* au lieu de faire *PCHIT!*

Sarah est devenue si grande qu'elle peut maintenant sauter par-dessus les flaques d'eau. Et lorsqu'elle saute, ses bottes jaunes à rayures rouges pompier font ZZZOUM!

FIN